Andere voorleesboeken over Pietertje Pet zijn:

Goeiemorgen, Pietertje Pet

Pietertje Pet is stout

Een krentenbol voor Pietertje Pet

Opruimen, Pietertje Pet

Zeven spruitjes voor Pietertje Pet

Hoera voor Pietertje Pet

Een vriendinnetje voor Pietertje Pet

Naar het strand met Pietertje Pet

Zwarte Piet en Pietertje Pet

ISBN 90 410 0968 X

NUGI 230

www.unieboek.nl

Illustraties: Marijke Duffhauss

Vormgeving: Kara Petit

Vrolijk kerstfeest, Pietertje Pet

Marianne Busser en Ron Schröder
met illustraties van Marijke Duffhauss

VAN REEMST
UITGEVERIJ
HOUTEN

Het is al bijna kerstfeest
buiten ligt een dik pak sneeuw
en ergens op een kale boomtak
zit een hongerige spreeuw

Pietertje gaat naar de keuken
en zegt: mama, 'k heb een plan
mag ik pinda's en wat draadjes
dan maak ik er slingers van

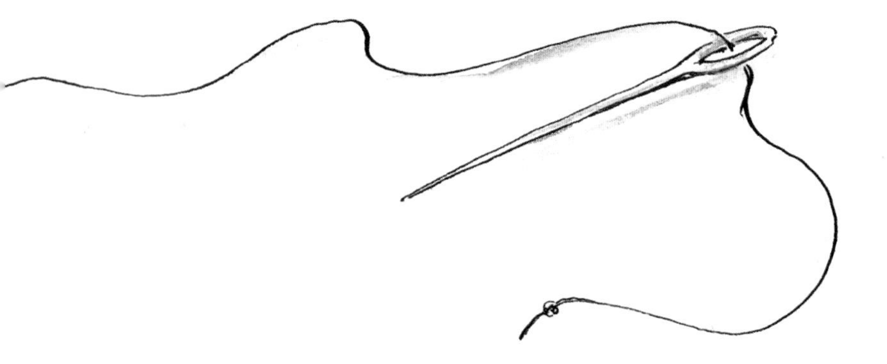

Ik wil een vogel-kerstboom maken
mama zegt: een leuk idee
als ik klaar ben in de keuken
help ik ook wel even mee

Ergens achter in de tuin
moet nog een dennenboompje staan
ik zet hem straks wel op het plaatsje
hang je slingers daar maar aan

Dan mag Pietertje gaan rijgen
met een naald en met een draad
en komt mama hem vertellen
dat de kerstboom er al staat

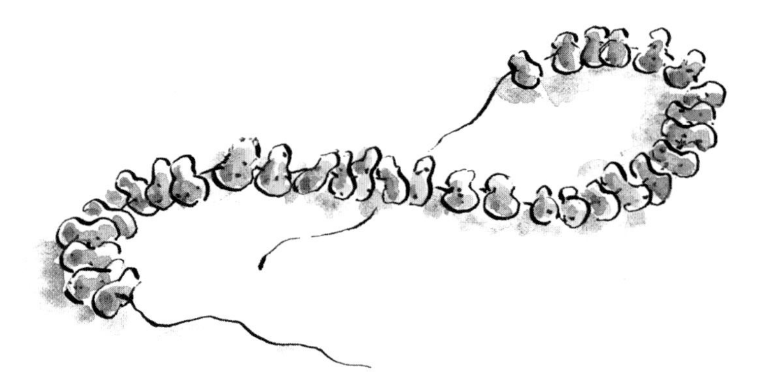

Ze zegt: 'k heb ook nog ballen
en wat sterren volgens mij
een halve appel en een vetbol
hang die er straks ook maar bij

Pietertje doet snel zijn jas aan
en gaat vrolijk aan de slag
want hij vindt het heel erg leuk
dat hij die boom versieren mag

Met wat touwtjes en wat haakjes
hangt hij alles netjes op
en hij prikt de halve appel
ergens boven in de top

Dan gaat hij de vogels roepen
maar mama zegt als ze dat ziet:
je moet niet schreeuwen naar die vogels
Pietertje... zo gaat dat niet!

Even later als hij rustig
voor het keukenraam gaat staan
roept hij vrolijk: kijk dan mama
daar komen de vogels aan!

Een roodborstje, twee zwarte kraaien
een duif, een musje en een meeuw
een vink, een koolmees en een merel
en die hongerige spreeuw

En ze tsjilpen en ze fluiten
in hun eigen vogeltaal
't lijkt wel of ze willen zeggen:
vrolijk kerstfeest allemaal!